中国工程建设协会标准

钠基膨润土防水毯应用技术规程

Technical specification for application of sodium bentonite geosynthetic clay liner

CECS 457：2016

主编单位：中国水利水电科学研究院
　　　　　北京万方程科技有限公司
批准单位：中国工程建设标准化协会
施行日期：２０１７年３月１日

中国计划出版社

2016　北　京

中国工程建设协会标准
钠基膨润土防水毯应用
技 术 规 程
CECS 457：2016

☆

中国计划出版社出版发行
网址：www.jhpress.com
地址：北京市西城区木樨地北里甲11号国宏大厦C座3层
邮政编码：100038　电话：(010)63906433(发行部)
廊坊市海涛印刷有限公司印刷

850mm×1168mm　1/32　1.125印张　24千字
2017年2月第1版　2017年2月第1次印刷
印数1—2080册

☆

统一书号：155182・0022
定价：14.00元

版权所有　侵权必究
侵权举报电话：(010)63906404
如有印装质量问题，请寄本社出版部调换

中国工程建设标准化协会公告

第 266 号

关于发布《钠基膨润土防水毯应用技术规程》的公告

根据中国工程建设标准化协会《关于印发〈2015年第二批工程建设协会标准制订、修订计划〉的通知》(建标协字〔2015〕099号)的要求,由中国水利水电科学研究院和北京万方程科技有限公司等单位编制的《钠基膨润土防水毯应用技术规程》,经本协会建筑与市政工程产品应用分会组织审查,现批准发布,编号为 CECS 457:2016,自 2017 年 3 月 1 日起施行。

中国工程建设标准化协会
二〇一六年十一月二十八日

前　言

根据中国工程建设标准化协会《关于印发〈2015年第二批工程建设协会标准制订、修订计划〉的通知》(建标协字〔2015〕099号)的要求,标准编制组经广泛调查研究,认真总结各地实践经验,参考有关国内外相关标准,并在广泛征求意见的基础上,制定本规程。

本规程共分6章和2个附录,主要内容包括:总则、术语、材料、设计、施工和验收等。

本规程由中国工程建设标准化协会建筑与市政工程产品应用分会归口管理,由中国水利水电科学研究院负责具体技术内容的解释。在执行过程中,如有意见和建议,请将意见和有关资料寄送解释单位(地址:北京市海淀区复兴路甲1号,邮政编码:100038)。

主 编 单 位:中国水利水电科学研究院
北京万方程科技有限公司
参 编 单 位:中水北方勘测设计研究有限责任公司
河北省水利科学研究院
湖北工业大学
山西省水利水电勘察设计研究院
太仓迅达路基材料有限公司
主要起草人:沈承秀　黄啟明　白音包力皋　白素萍
肖衡林　李　想　郭端英　朱永涛　许　实
陈兴茹　胡建东　沈承芬　曾皋波　穆祥鹏
范惠生　叶建军　刘　杰　张　潮　张洪雨
主要审查人:许　晔　朱晨东　孙景亮　方启通　刘树玉
刘凤霞　李京霞　高　冬

目 次

1 总　　则 …………………………………………（1）
2 术　　语 …………………………………………（2）
3 材　　料 …………………………………………（4）
　3.1 一般规定 ……………………………………（4）
　3.2 钠基膨润土防水毯 …………………………（4）
4 设　　计 …………………………………………（6）
　4.1 一般规定 ……………………………………（6）
　4.2 基础层设计 …………………………………（6）
　4.3 搭接及锚固设计 ……………………………（7）
　4.4 保护层设计 …………………………………（7）
　4.5 节点设计 ……………………………………（8）
5 施　　工 …………………………………………（10）
　5.1 进场检验 ……………………………………（10）
　5.2 运输和储存 …………………………………（11）
　5.3 基础层处理 …………………………………（11）
　5.4 钠基膨润土防水毯铺设 ……………………（11）
　5.5 保护层施工 …………………………………（12）
　5.6 安全施工 ……………………………………（12）
6 验　　收 …………………………………………（13）
附录 A　加厚型钠基膨润土防水毯 ………………（14）
附录 B　加膜型钠基膨润土防水毯 ………………（15）
本规程用词说明 ……………………………………（16）
引用标准名录 ………………………………………（17）
附：条文说明 ………………………………………（19）

Contents

1 General provisions .... (1)
2 Terms .... (2)
3 Materials .... (4)
   3.1 General requirements .... (4)
   3.2 Sodium bentonite geosynthetic clay liner .... (4)
4 Design .... (6)
   4.1 General requirements .... (6)
   4.2 Design for base layer .... (6)
   4.3 Design for overlap joint and anchoring .... (7)
   4.4 Design for protective layer .... (7)
   4.5 Design for joint .... (8)
5 Construction .... (10)
   5.1 Inspection .... (10)
   5.2 Transporting and storing .... (11)
   5.3 Base layer processing .... (11)
   5.4 Sodium bentonite geosynthetic clay liner laying ..... (11)
   5.5 Protective layer construction .... (12)
   5.6 Safe construction .... (12)
6 Acceptance .... (13)
Appendix A Thickened sodium bentonite geosynthetic clay liner .... (14)
Appendix B Filmed sodium bentonite geosynthetic clay liner .... (15)
Explanation of wording in this specification .... (16)
List of quoted standards .... (17)
Addition: Explanation of provisions .... (19)

1 总　　则

1.0.1 为规范钠基膨润土防水毯的工程应用，为生产、设计、施工和验收等提供技术依据，做到技术先进、安全可靠、经济合理、施工方便，制定本规程。

1.0.2 本规程适用于海绵城市建设、河湖生态保护与修复、市政建设等工程采用钠基膨润土防水毯的设计、施工和验收。

1.0.3 钠基膨润土防水毯及其应用，除应符合本规程的规定外，尚应符合国家现行有关标准的规定。

2 术　　语

2.0.1 钠基膨润土　　sodium bentonite

又称为钠基蒙脱石，遇水膨胀并形成稳定的凝胶体。

2.0.2 钠基膨润土防水毯　　sodium bentonite geosynthetic clay liner

在两层或多层土工合成材料之间夹封钠基膨润土，通过针刺复合而成的毯状防渗材料。

2.0.3 膨润土胶泥　　bentonite paste

在膨润土粉中加水或其他液体，连续均匀拌和而成的膏体。

2.0.4 膨胀指数　　expansion index

反映膨润土中蒙脱石吸水膨胀性能和分散、悬浮及造浆性能的指标，按现行行业标准《膨润土试验方法》JC/T 593中规定的试验方法测定2g干燥膨润土完全吸水后的体积表示，单位为ml/2g。

2.0.5 吸蓝量　　blue absorption

膨润土中蒙脱石具有吸附亚甲基蓝的能力，用以鉴别和评定膨润土粘土矿物含量的指标，以每100g试样吸附的亚甲基蓝的克数表示，按照现行行业标准《膨润土试验方法》JC/T 593中规定的测定方法测试，单位为g/100g。

2.0.6 滤失量　　filtrate loss

膨润土悬浮液滤出的滤液量，以ml表示，按照现行行业标准《膨润土试验方法》JC/T 593中规定的测定方法测试。

2.0.7 膨润土耐久性　　durability of bentonite

膨润土在0.1%的$CaCl_2$溶液中静置168h后的膨胀指数，按照现行行业标准《膨润土试验方法》JC/T 593中规定的测定方法测试,单位为 ml/2g。

2.0.8 贯通物　cut-through object
　　贯穿钠基膨润土防水毯防渗层的管道等构筑物。

3 材 料

3.1 一般规定

3.1.1 钠基膨润土防水毯的选用应遵循因地制宜、有利于恢复及维系生态环境的原则。

3.1.2 钠基膨润土防水毯的规格及保护层应根据地质条件、水文环境、工程特性等情况选用。

3.2 钠基膨润土防水毯

3.2.1 钠基膨润土防水毯的基本结构由非织造土工布、钠基膨润土、塑料扁丝编织土工布组成,其产品应符合现行行业标准《钠基膨润土防水毯》JG/T 193 的有关规定,同时其主要物理力学性能指标还应符合表3.2.1的规定。

表3.2.1 钠基膨润土防水毯主要物理力学性能指标

项 目	指 标
膨润土单位面积质量(烘干)(g/m^2)	≥4500
膨润土防水毯单位面积质量(烘干)(g/m^2)	≥4840
膨润土膨胀指数(ml/2g)	≥24
渗透系数(m/s)	≤$5.0×10^{-11}$
吸蓝量(g/100g)	≥30
抗拉强度(kN/m)	≥6
最大负荷下伸长率(%)	≥10
剥离强度(kN/m)	≥0.4
耐静水压	0.4MPa,1h,无渗漏
滤失量(ml)	≤18
膨润土耐久性(ml/2g)	≥20

注:1 非织造土工布质量不小于 $220g/m^2$,塑料扁丝编织土工布质量不小于 $120g/m^2$;
　　2 检测方法按现行行业标准《钠基膨润土防水毯》JG/T 193 的有关规定执行。

3.2.2 钠基膨润土防水毯的外观应包装完好、表面平整、厚度均匀、干净、无污损、无撕裂、无孔洞、无剥离、无皱折、边缘齐整。针刺应牢靠、均匀、无残留断针。

3.2.3 钠基膨润土防水毯内膨润土应分布均匀、无早期水化。

3.2.4 当工程设计需要时,可选择加厚型或加膜型钠基膨润土防水毯,其物理力学性能指标应分别符合本规程附录 A 和附录 B 的规定。

4 设 计

4.1 一般规定

4.1.1 钠基膨润土防水毯防渗层应从上而下依次为保护层、钠基膨润土防水毯、基础垫层(必要时)、基础层(图 4.1.1)。

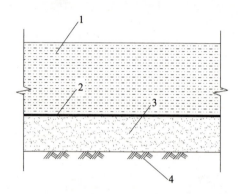

图 4.1.1 钠基膨润土防水毯防渗层示意图
1—保护层;2—钠基膨润土防水毯;3—基础垫层;4—基础层

4.2 基础层设计

4.2.1 钠基膨润土防水毯放置的基础层,当为黏性土时,基础层设计压实度不应小于 90%,当为无黏性土时,基础层设计相对密度不应小于 0.60。

4.2.2 对于软弱基础、腐殖土或尖锐物较多基础,应按国家现行有关标准采取相应的处理措施。

4.2.3 钠基膨润土防水毯与建筑物连接需要拐角时,基础层面应设置为斜坡或圆弧面,斜坡宽度或圆弧半径不小于 300mm(图 4.2.3)。

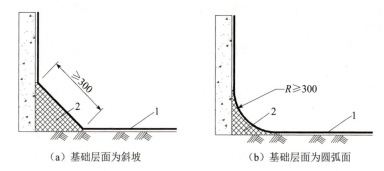

（a）基础层面为斜坡　　　　　（b）基础层面为圆弧面

图 4.2.3　基础面折角处处理示意图

1—钠基膨润土防水毯；2—填土修坡

4.3　搭接及锚固设计

4.3.1　钠基膨润土防水毯的搭接不宜设在拐角处，搭接缝离拐角不应小于500mm。

4.3.2　基础层良好时，搭接宽度不应小于300mm，软弱基础部位搭接宽度不应小于500mm。在搭接部位的上下两层钠基膨润土防水毯中间，应均匀撒上 $0.6kg/m^2 \sim 2.0kg/m^2$ 膨润土粉。斜坡上搭接部位两层钠基膨润土防水毯中间宜采用膨润土胶泥。

4.3.3　相邻幅面的钠基膨润土防水毯应错缝铺设，错缝间距不应小于600mm。

4.3.4　钠基膨润土防水毯与其他防水材料的搭接宽度不应小于500mm，搭接面之间应铺抹膨润土胶泥或环保型粘合材料。

4.3.5　不规则部位的搭接缝除应采用膨润土粉或膨润土胶泥外，尚应采取缝合或粘结等其他加强措施。

4.3.6　在铺设区域边缘开挖锚固沟，沟底宽和沟深度均不应小于500mm，钠基膨润土防水毯埋入时应紧贴沟壁和沟底，再回填夯实。

4.4　保护层设计

4.4.1　钠基膨润土防水毯上应设置保护层。保护层宜采用素土，保护层压实度不应小于80%。根据工程需求和功能等不同,保护层厚度不应小于300mm。

4.4.2 对于有抗冲要求的部位,保护层上应增设防冲保护措施,并应采取防止保护层渗透破坏的必要措施。

4.4.3 对于有种植要求的部位,保护层上应设置满足种植厚度要求的种植土层。

4.4.4 水位变化较大且地下水位较高时,在钠基膨润土防水毯下面应设置排水装置以降低外水压力或采取其他抗浮措施。

4.5 节点设计

4.5.1 垂直贯通物设计应符合下列规定:

  1 应在贯通物周边500mm内铺设双层钠基膨润土防水毯;

  2 钠基膨润土防水毯与贯通物的接触部位应紧密包裹,包裹长度不应小于200mm;

  3 上下两层钠基膨润土防水毯中间用钠基膨润土填充,宽度和高度均不应小于200mm,上层钠基膨润土防水毯与下层钠基膨润土防水毯边缘之间应按搭接处理(图4.5.1)。

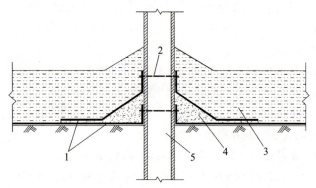

图4.5.1 垂直方向贯通物防渗设计示意图
1—钠基膨润土防水毯;2—绳材缠绕或钢箍紧固;3—保护层;
4—钠基膨润土;5—贯通物

4.5.2 水平贯通物设计应符合下列规定：
1 应在贯通物周边500mm内铺设双层钠基膨润土防水毯；
2 钠基膨润土防水毯与贯通物的接触部位应紧密包裹，包裹长度不应小于200mm；
3 下层钠基膨润土防水毯与基础面之间，以及两层钠基膨润土防水毯之间应填充不小于100mm厚的钠基膨润土粉或膨润土胶泥，上层钠基膨润土防水毯边缘与下层钠基膨润土防水毯之间应按搭接处理(图4.5.2)。

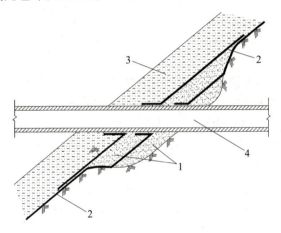

图4.5.2 水平方向贯通物防渗设计示意图
1—钠基膨润土粉或膨润土胶泥；2—钠基膨润土防水毯；3—保护层；4—贯通物

5 施 工

5.1 进场检验

5.1.1 钠基膨润土防水毯应符合现行行业标准《钠基膨润土防水毯》JG/T 193 的有关规定,同时其主要物理力学性能指标还应符合本规程表 3.2.1 的规定。

5.1.2 外观质量应表面平整,厚度均匀,无破洞、破边,无残留断针,针刺均匀。

5.1.3 长度和宽度尺寸应符合设计要求,允许偏差应控制在1‰。

5.1.4 钠基膨润土防水毯应具有出厂合格证和标志牌,注明产品商标、名称、规格、执行标准、生产厂名、生产日期、毛重等内容。

5.1.5 钠基膨润土防水毯应具有国家认可资质的检测单位出具的产品检测报告,检测指标应包括外观质量、尺寸偏差及主要物理力学性能指标。

5.1.6 钠基膨润土防水毯进场时应进行抽检,以批为单位进行检验,同一类型、同一规格的产品每 $12000m^2$ 为一批,不足 $12000m^2$ 按一批计;检验标准应符合现行行业标准《钠基膨润土防水毯》JG/T 193 的有关规定,检测频率应符合表 5.1.6 的要求;主要物理力学性能指标应由具有国家认可资质的检测单位进行检测。

表 5.1.6 钠基膨润土防水毯各项检测频率

项 目	检测频率(m^2)
膨润土防水毯单位面积质量	12000
拉伸强度	12000
最大负荷下伸长率	12000
剥离强度	4000
渗透系数	12000
耐静水压	12000

5.2 运输和储存

5.2.1 材料运输和储存过程中,应防潮、防水、防破损漏土,施工铺设前严禁拆开包装。

5.2.2 钠基膨润土防水毯宜存放在库房或搭建的防雨棚内;可成卷叠放,但不宜超过4层;露天堆放的钠基膨润土防水毯及辅料应用防水材料铺盖。

5.2.3 钠基膨润土防水毯的堆放场地应选择地势较高的地方,钠基膨润土防水毯应架空存放,防止受潮,离地高度不应小于200mm。

5.2.4 钠基膨润土防水毯存放地点应远离各种火源。

5.2.5 施工当天剩余钠基膨润土防水毯应妥善保存,避免被雨水淋湿。

5.3 基础层处理

5.3.1 基础层应平整、清洁,不得有尖锐突起物,压实标准应符合设计要求。

5.3.2 基础层应无渗水、积水。

5.3.3 基础层节点等特殊部位应按设计要求施工。

5.4 钠基膨润土防水毯铺设

5.4.1 钠基膨润土防水毯非织造土工布面应为迎水面。

5.4.2 严禁在雨天、雪天及大风等恶劣天气施工。

5.4.3 铺设应平整,贴紧基础面,不宜过度拉紧。

5.4.4 搭接缝应紧密服贴、平整,严禁皱折,搭接部位施工应符合设计要求。

5.4.5 钠基膨润土防水毯搭接应为水流上游侧压下游侧;坡面上搭接应坡上方压坡下方。

5.4.6 贯通物处的钠基膨润土防水毯铺设应符合本规程第4.5

节的节点设计要求。

5.4.7 当钠基膨润土防水毯有撕裂缺口时,应采用一整片钠基膨润土防水毯覆盖于缺口处,其尺寸应超出缺口边缘不小于500mm,搭接部位的两层钠基膨润土防水毯中间应按设计要求均匀撒上钠基膨润土粉。

5.5 保护层施工

5.5.1 钠基膨润土防水毯铺设进度应与保护层进度相配套,铺设防水毯后,宜及时完成保护层的施工。当未能及时覆盖保护层时,应对钠基膨润土防水毯采取防水等保护措施。

5.5.2 保护层不应含有垃圾、尖锐物等。

5.5.3 保护层厚度及压实度应符合设计要求,表面应平整、清洁。

5.6 安全施工

5.6.1 钠基膨润土防水毯的施工和维护过程中,其安全、劳动保护及环境保护等应符合国家现行有关标准的规定,做到安全文明施工。

5.6.2 在现场进行材料装卸和搬运时,应避开雨天;应保证吊装和搬运的安全,防止机械和重物伤人。

5.6.3 当在边坡部位铺设钠基膨润土防水毯时,宜采用绳索等工具控制铺设方向和速度,人员不得站在钠基膨润土防水毯展开的下方。

5.6.4 进入施工现场的材料应按照指定位置堆放整齐,不得随意乱放。

5.6.5 施工现场及材料库须通风良好,严禁烟火。

6 验　　收

6.0.1 钠基膨润土防水毯防渗工程中的基础层、防渗层、保护层应按隐蔽工程进行质量验收，验收合格后方可进行下道工序施工。

6.0.2 基础层施工质量验收应符合下列规定：

 1 基础层应坚实、平整、清洁。基础层的压实度应符合设计要求；

 2 基础层表面应基本干燥，不应有积水；

 3 基础层与立墙部位的夹角应满足设计要求；

 4 锚固沟的部位和尺寸应满足设计要求。

6.0.3 钠基膨润土防水毯施工质量验收应符合下列规定：

 1 防水毯铺设顺序、方向应符合设计要求；

 2 防水毯搭接方式、搭接宽度应符合设计要求；

 3 施工缝、贯通物等节点施工应符合设计要求；

 4 防水毯锚固沟尺寸应符合设计要求。

6.0.4 保护层施工质量验收应符合下列规定：

 1 压实度或相对密度应符合设计要求；

 2 保护层不应含有损于防水毯的物质；

 3 防冲保护、防护范围、材料和尺寸等均应符合设计要求。

附录 A 加厚型钠基膨润土防水毯

A.0.1 加厚型钠基膨润土防水毯应从上而下依次包括非织造土工布、钠基膨润土层、塑料扁丝编织土工布、钠基膨润土层、非织造土工布五层结构。在塑料扁丝编织土工布的上下两面都应填充钠基膨润土，五层结构应通过穿刺工艺固定连接在一起。

A.0.2 加厚型钠基膨润土防水毯物理力学性能应符合表 A.0.2 的规定。

表 A.0.2 加厚型钠基膨润土防水毯物理力学性能指标

项 目	性能指标
膨润土单位面积质量(烘干)(g/m²)	≥7000
膨润土防水毯单位面积质量(烘干)(g/m²)	≥8000
膨润土膨胀指数(ml/2g)	≥24
渗透系数(m/s)	≤5.0×10^{-12}
吸蓝量(g/100g)	≥30
抗拉强度(kN/m)	≥6
最大负荷下伸长率(%)	≥10
剥离强度(kN/m)	≥0.4
耐静水压	0.6MPa、1h、无渗漏
滤失量(ml)	≤18
膨润土耐久性(ml/2g)	≥20

注：1 非织造土工布质量不小于 220g/m²，塑料扁丝编织土工布质量不小于 160g/m²；
    2 检测方法按现行行业标准《钠基膨润土防水毯》JG/T 193 的有关规定执行。

附录 B 加膜型钠基膨润土防水毯

B.0.1 加膜型钠基膨润土防水毯从上而下依次包括高密度聚乙烯覆膜、非织造土工布、钠基膨润土层、塑料扁丝编织土工布四层结构。

B.0.2 加膜型钠基膨润土防水毯物理力学性能应符合表 B.0.2 的规定。

表 B.0.2 加膜型钠基膨润土防水毯物理力学性能指标

项　　目		性 能 指 标
膨润土防水毯单位面积质量(烘干)(g/m²)		≥4000 且不小于规定值
膨润土膨胀指数(ml/2g)		≥24
渗透系数(m/s)		≤$5.0×10^{-12}$
吸蓝量(g/100g)		≥30
抗拉强度(kN/m)		≥7
最大负荷下伸长率(%)		≥10
剥离强度 (kN/m)	非织造土工布与塑料扁丝编织土工布	≥0.4
	高密度聚乙烯覆膜与非织造土工布	≥0.3
耐静水压		0.6MPa、1h、无渗漏
滤失量(ml)		≤18
膨润土耐久性(ml/2g)		≥20

注：1 非织造土工布质量不小于 220g/m²，塑料扁丝编织土工布质量不小于 120g/m²；
　　2 检测方法按现行行业标准《钠基膨润土防水毯》JG/T 193 的有关规定执行。

本规程用词说明

1 为便于在执行本规程条文时区别对待,对要求严格程度不同的用词说明如下:

　　1)表示很严格,非这样做不可的:
　　　　正面词采用"必须",反面词采用"严禁";
　　2)表示严格,在正常情况下均应这样做的:
　　　　正面词采用"应",反面词采用"不应"或"不得";
　　3)表示允许稍有选择,在条件许可时首先应这样做的:
　　　　正面词采用"宜",反面词采用"不宜";
　　4)表示有选择,在一定条件下可以这样做的,采用"可"。

2 条文中指明应按其他有关标准执行的写法为:"应符合……的规定"或"应按……执行"。

引用标准名录

《钠基膨润土防水毯》JG/T 193
《膨润土试验方法》JC/T 593

中国工程建设协会标准

钠基膨润土防水毯应用
技 术 规 程

CECS 457:2016

条 文 说 明

目 次

1 总　　则 …………………………………………………（23）
3 材　　料 …………………………………………………（24）
　3.1 一般规定 ………………………………………………（24）
　3.2 钠基膨润土防水毯 ……………………………………（24）
4 设　　计 …………………………………………………（25）
　4.2 基础层设计 ……………………………………………（25）
　4.3 搭接及锚固设计 ………………………………………（25）
　4.4 保护层设计 ……………………………………………（25）
　4.5 节点设计 ………………………………………………（25）
5 施　　工 …………………………………………………（26）
　5.1 进场检验 ………………………………………………（26）
　5.4 钠基膨润土防水毯铺设 ………………………………（26）
　5.6 安全施工 ………………………………………………（26）
6 验　　收 …………………………………………………（27）

1 总　　则

1.0.1 建设具有自然积存、自然渗透、自然净化功能的海绵城市是生态文明建设的重要内容，是实现城镇化和生态环境协调发展的重要体现，也是今后我国城市建设的重大任务。与当前的国家生态文明建设、生态系统保护与修复的迫切需求相比，城市河湖生态保护与修复技术缺乏相应技术规范的指导，导致众多水生态保护和修复工程在规划、设计、施工和验收等阶段面临着不同的困难。钠基膨润土防水毯是在国内广泛应用的生态型防渗材料，虽然经过多年应用，但是至今我国尚没有一部关于该材料的工程应用技术规范，使得设计、施工部门对于材料技术特性、使用要求以及验收规定等缺乏依据。总结和归纳钠基膨润土防水毯的应用技术成果和应用经验，制定技术规程，有利于进一步促进其发展，规范其在海绵城市建设工程中的应用。

1.0.2 钠基膨润土防水毯的实际应用领域较广，除海绵城市建设、河湖生态保护与修复、市政建设领域外，还适用于房屋建筑工程、矿山工程、交通运输工程等。

3 材 料

3.1 一般规定

3.1.1 钠基膨润土防水毯不应直接用于咸水及腐蚀性较强的环境。首次放水应使用清洁淡水,活化膨润土至少48h。

3.1.2 钠基膨润土防水毯的常用规格为30m×6m(长×宽)。

3.2 钠基膨润土防水毯

3.2.1 表3.2.1中部分参数引用了行业标准《钠基膨润土防水毯》JG/T 193—2006中第4.4节表2的数值。

3.2.4 对于水头高、防渗要求严、地质条件复杂等防渗工程,建议采用加厚型钠基膨润土防水毯。对于地下工程等对防渗要求更高的情况,建议采用加膜型钠基膨润土防水毯。加膜型钠基膨润土防水毯是在钠基膨润土防水毯的非织造土工布外表面上复合一层高密度聚乙烯覆膜加工而成。

4 设 计

4.2 基础层设计

4.2.2 对于软弱基础或尖锐物较多等无法满足设计要求的基础条件,可采取换基、铺设垫层、加筋等处理措施。

4.3 搭接及锚固设计

4.3.1 钠基膨润土防水毯搭接部位属于薄弱环节,不宜过于集中。

4.3.5 不规则部位的搭接缝除用钠基膨润土或膨润土胶泥外,还可采用无污染的粘结材料等进行加强处理。

4.3.6 如岸坡较长、较陡时,可考虑在坡中间适当位置增设锚固沟或马道,防止钠基膨润土防水毯滑移。

4.4 保护层设计

4.4.1 保护层主要作用有保护钠基膨润土防水毯材料,防止其裸露受损。保护层的压重有利于提高钠基膨润土湿化膨胀后的密度,保证钠基膨润土防水毯的防渗效果。

4.4.2 受水流冲刷影响较大部位,在保护层上应设置石料层、格网石笼等防冲体。

4.4.3 根据植物种类,设置相应厚度的种植土层。

4.5 节点设计

4.5.1 节点的设计主要保证钠基膨润土防水毯整体的密闭性,对于有穿透要求的部位,采用紧贴和延长渗径等方法,还应能适应一定的变形。转角部位要注意保证钠基膨润土防水毯结合部位有相应的夹挤作用,且遇水后夹挤作用无明显减弱。

5 施 工

5.1 进场检验

5.1.5 钠基膨润土防水毯生产厂家应委托具有国家认可资质的检测单位进行检测。对于存放1年以上的钠基膨润土防水毯，应重新进行质量检测，如达不到质检要求，不予使用。对于有特殊要求的工程，可以进行驻厂监造。

5.1.6 钠基膨润土防水毯取样方法可参考现行国家标准《土工合成材料 取样和试样准备》GB/T 13760 的有关规定执行。

5.4 钠基膨润土防水毯铺设

5.4.2 如施工过程中突遇雨雪天气，应立即停工并采取防水覆盖保护措施。

5.6 安全施工

5.6.1 钠基膨润土防水毯的安全施工应符合国家现行标准《水利水电工程施工通用安全技术规程》SL 398、《建筑施工安全技术统一规范》GB 50870、《市政工程施工组织设计规范》GB/T 50903 等安全管理规定，做到安全文明施工。

6 验 收

6.0.1 基础层处理、钠基膨润土防水毯铺设、保护层覆盖作为隐蔽工程进行质量验收,并填写隐蔽工程验收记录。钠基膨润土防水毯在施工中应及时铺设保护层,各工序进行质量控制,工序之间进行交接检验,上道工序应满足下道工序的施工条件和技术要求。在每道工序完成后,应经质量检验或监理人员检查验收合格后,再进行下一道工序的施工。根据工程需求,可进行原位模拟试验和完工后闭水试验。

6.0.2 基础层施工质量验收,施工单位按 2 点/1000m² 检测基础层碾压密实度和高程,监理单位按施工单位检验数的 30% 做见证检验、10% 做平行检验。

6.0.3 钠基膨润土防水毯施工质量验收,防水毯的搭接方式、搭接宽度以及节点施工是施工质量的关键环节。施工单位应全数检验,监理单位按施工单位检验数的 30% 做见证检验、10% 做平行检验。

6.0.4 保护层施工质量验收,施工单位按 2 点/1000m² 检测保护层碾压密实度和高程,监理单位按施工单位检验数的 30% 做见证检验、10% 做平行检验。